라울에게

미아 포사다 글 · 그림

작가이자 삽화가로, 자연과 예술을 결합하는 것을 즐깁니다.
위스콘신대학교 매디슨 캠퍼스에서 미술을 공부했습니다.
쓰고 그린 책으로 《누구의 알일까요?》, 《작고 동그란 무당벌레》,
《민들레가 활짝 피었어요》 등이 있습니다. 현재는 남편과 세 자녀, 큰 개 한 마리와 함께
미네소타주 골든 밸리에 살고 있습니다.

한소영 옮김

이화여자대학교 대학원 생명과학과를 졸업 뒤 서울대학교 병원에서 근무했습니다.
현재는 번역 에이전시 엔터스코리아에서 아동서 전문 번역가로 활동하고 있습니다.
옮긴 책으로는 《책 먹는 쥐 시몽》, 《The Art of Disney Pixar 도리를 찾아서》, 《픽셀 전사의 일기》 시리즈,
《바다를 병들게 하는 플라스틱》 등이 있습니다.

나뭇잎은 어떻게 초록이 되나요
Summer Green to Autumn Gold

1판 1쇄 | 2019년 10월 19일
1판 7쇄 | 2024년 10월 22일

글 · 그림 | 미아 포사다
옮김 | 한소영

펴낸이 | 박현진
펴낸곳 | (주)풀과바람
주소 | 경기도 파주시 회동길 329(서패동, 파주출판도시)
전화 | 031) 955-9655~6
팩스 | 031) 955-9657
출판등록 | 2000년 4월 24일 제20-328호
블로그 | blog.naver.com/grassandwind
이메일 | grassandwind@hanmail.net

편집 | 이영란
마케팅 | 이승민

값 12,000원
ISBN 978-89-8389-815-9 77840

이 도서의 국립중앙도서관 출판예정도서목록(CIP)은 서지정보유통지원시스템 홈페이지(seoji.nl.go.kr)와
국가자료공동목록시스템(www.nl.go.kr/kolisnet)에서 이용하실 수 있습니다.
(CIP제어번호 : CIP2019036924)

제품명 나뭇잎은 어떻게 초록이 되나요 | **제조자명** (주)풀과바람 | **제조국명** 대한민국
전화번호 031)955-9655~6 | **주소** 경기도 파주시 회동길 329
제조년월 2024년 10월 22일 | **사용 연령** 4세 이상
KC마크는 이 제품이 공통안전기준에 적합하였음을 의미합니다.

⚠ 주의
어린이가 책 모서리에
다치지 않게 주의하세요.

나뭇잎은 어떻게 초록이 되나요

미아 포사다 글·그림

한소영 옮김

풀과바람

여름에 주위에서
볼 수 있는 나뭇잎을
골라 볼까요?

종이자작나무
화이트 오크
은단풍나무
미국풍나무
흑호두나무
흰말채나무
느릅나무
미루나무
물푸레나무

온 세상이 **푸르게** 물들었어요.
싱그러운 연두에서 짙푸른 초록까지,
잎사귀 사이로 비치는 그림자마저 눈부신
초록의 계절이 되었네요!

초록빛 나뭇잎의 비밀은

잎사귀 저 깊은 곳에

숨어 있어요.

나뭇잎을 이루는 세포라는 작은 구조 안에는 더 작은 엽록체라는 물질이 있어요.
엽록체 안에는 엽록소라는 성분이 들어 있지요.

엽록소는 **녹색**을 띠는 색소랍니다.
식물의 잎은 엽록소 덕분에 **녹색**이지요.

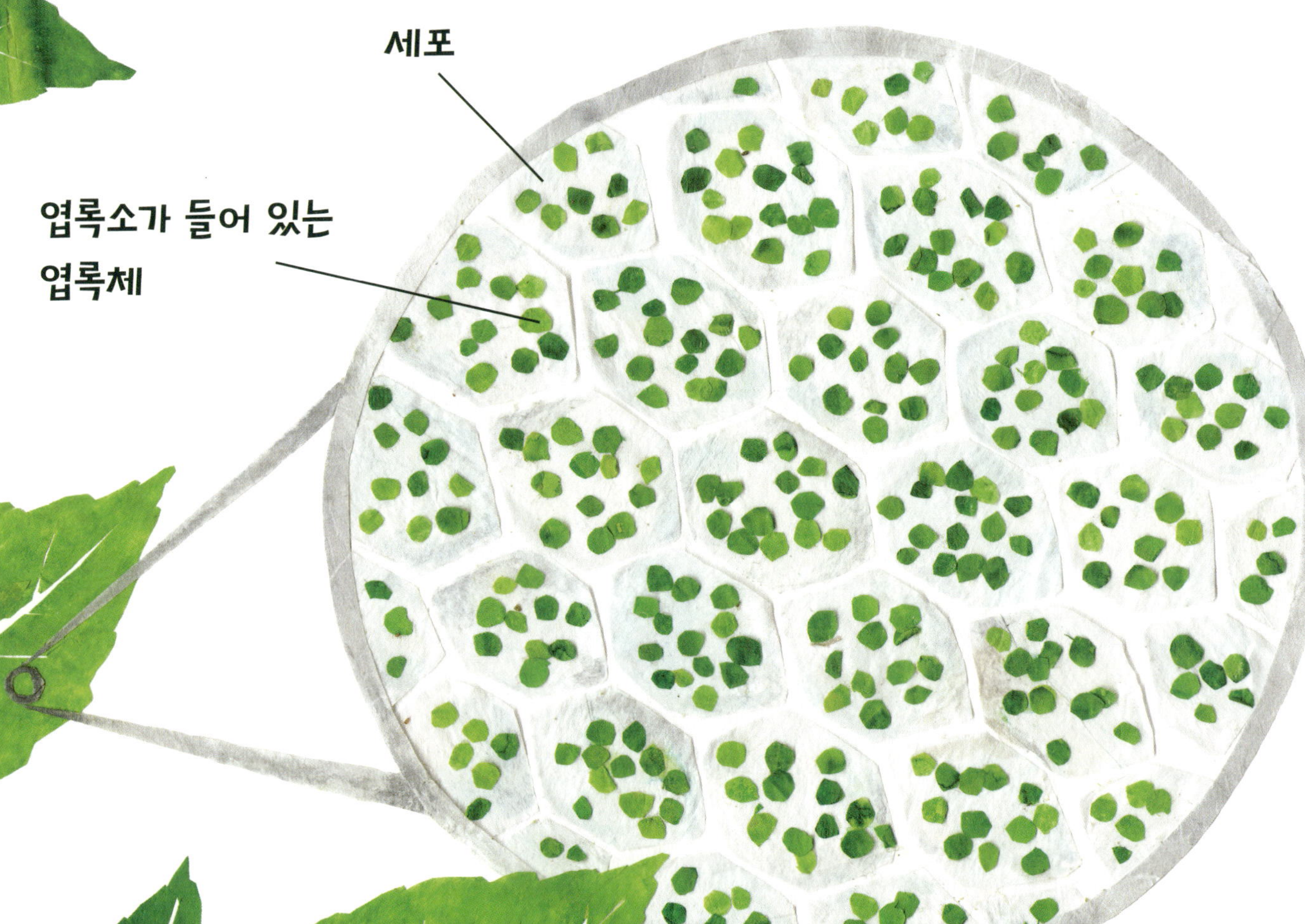

식물을 녹색으로 만드는 것 말고도
엽록소의 또 다른 중요한 역할이 있어요.
그건 바로 나무를 포함한 **녹색**식물의 영양분을
합성하는 일입니다.

잎에 **눈부신 햇살**이 비치면, 엽록소는
태양 에너지 일부를 저장합니다.
엽록소에 저장된 그 에너지는 식물이 땅에서 빨아올린
물, 그리고 공기 중 이산화탄소와 결합하여 영양분을
만들어요. 식물은 영양분 덕분에 **자랄 수** 있답니다.

녹색 엽록소는 무엇을 숨기는 일도 한답니다.
엽록소는 식물 잎사귀 안쪽에서
다른 색소를 가려 보이지 않게 하거든요.

주황과 노랑 색소는 눈부신 초록 때문에
보이지 않아요.

이들은 뜨거운 여름이 지날 때까지
가만히 기다려요.

서서히 여름이 가고 가을이 다가옵니다.
시원한 바람이 살랑살랑 불고, 밤이 점점 길어져요.
이런 변화는 나무들에게 다가올 겨울을 준비하라고 속삭입니다.

나무의 성장기가 지나고, 나뭇잎도 더는 영양분을 만들지 않아요.
그래서 엽록소가 필요하지 않습니다.
엽록소가 서서히 분해되고 없어지면, 잎의 초록빛도 점차
열어져요.
그러면 가려져 있던 노랑과 주황색이 마침내 나타나기
시작하지요.

몇몇 잎은 **불타는 빨강**, **짙은 보라**,
눈부신 다홍빛으로 물들어 가요.
이렇게 밝고 알록달록한 색깔이 나타나는 것은,
기온이 낮아지면서 잎사귀 안에 숨어 있던 색소가
드러나기 때문이랍니다.

또 다른 나뭇잎에는 갈색 색소가 들어 있어요.
엽록소가 조금씩 사라지면서, 이런 잎은
점점 **갈색**으로 변해 갑니다.

나뭇잎 중에는 노랑, 주황, 빨강과 갈색 색소를
모두 가진 것들이 많아요.

온 세상은 그렇게 다홍과 주황, 포돗빛과
황금빛이 어우러진 무지개처럼 물들어 갑니다.

서늘한 가을바람이 불어오면
나무는 겨울나기를 시작합니다.
붙어 있던 잎자루와 가지 사이가
분리되지요.
나뭇잎은 살랑살랑 떨어져
땅 위에 켜켜이 쌓입니다.

떨어진 나뭇잎은 숲의 토양을 **비옥**하게 만듭니다. 부서지고 분해된 뒤에는 결국 토양의 일부분으로 돌아가거든요.

떨어진 나뭇잎은 곤충과 달팽이, 지렁이의 먹이가 될 뿐 아니라, 안전한 보금자리가 되기도 합니다.

잎을 모두 떨궈
앙상해진 나무는
오랜 **잠**을 자듯 겨울을 보냅니다.

나무에게는 휴식 시간인 셈이지요.

다시 봄이 오면 파릇파릇 새싹이
돋기 시작해요. 깊은 잠에서 깨어나 엽록소를
가득 품은 잎은 또다시 온 세상을 초록으로
가득 채울 거예요!

다양한 나뭇잎

가을이나 겨울에 잎이 떨어졌다가 봄에 새잎이 나는 나무를 '낙엽수'라고 해요. 낙엽수 잎은 부드럽고 연약해서 만물이 꽁꽁 얼어붙는 겨울에는 살아남기 어렵지요. 잎 때문에 나무가 꽁꽁 얼고 감염되어 죽지 않으려면 떼어 버려야 해요. 잎자루와 가지 사이에 '떨켜'가 만들어지면 잎은 말라 버리고 곧 땅으로 떨어지죠.

반면에, '상록수'로 불리는 나무들은 사계절 내내 푸른 잎을 그대로 유지합니다. 소나무와 가문비나무 같은 상록수의 잎은 단단하고 기다란 바늘처럼 생겼는데, 왁스 성분이 잎의 표면을 덮어 보호하고 있어 추운 겨울에도 얼지 않고 살아남을 수 있어요.

자연의 여러 색소 이야기

나뭇잎이 알록달록 주황색과 노란색으로 물드는 건 '카로티노이드'라는 색소 덕분입니다. 카로티노이드는 동식물에 널리 분포되어 있는 색소로, 당근과 호박의 주황색, 바나나와 옥수수, 수선화의 샛노란 빛깔을 만들지요.

빨간색이나 보라색 잎의 빛깔은 '안토시아닌' 색소의 작용 때문입니다. 안토시아닌은 사과를 빨갛게 하거나, 빨강과 분홍, 보라와 파랑의 다양한 꽃잎 색깔을 결정짓는 역할을 하기도 합니다.

갈색 잎은 '타닌'이라 불리는 색소 때문에 만들어집니다. 초가을, 타닌은 카로티노이드와 안토시아닌 입자와 작용하여 참나무 등의 잎사귀를 황금빛, 포돗빛, 짙은 구릿빛으로 물들입니다. 가을이 깊어 가면서 주황과 노랑, 그리고 붉은 입자가 분해되고 사라지면, 갈색의 타닌만 남습니다.

잎의 종류에 따라 다르지만, 잎사귀 하나에 이런 여러 색소가 모두 존재할 수도 있고 일부만 들어 있기도 해요. 나무마다 색소가 분해되고 작용하는 과정이 다르므로, 우리는 알록달록 눈부신 단풍의 향연을 가을 내내 만끽할 수 있어요.

지역에 따라 다른 가을 풍경

가을 단풍은 사계절이 뚜렷한 지역에서 나타납니다. 날씨가 추워지지 않는 지역에 사는 나무의 잎은 떨어지더라도 대개 색이 바뀌지 않지요.

지역의 나무 종류에 따라 단풍의 색과 진하기가 결정됩니다. 예를 들어, 단풍나무가 무성한 미국 북동부에 가을이 찾아오면 강렬한 붉은 숲이 끝없이 펼쳐지지요. 반면에, 사시나무가 빼곡한 로키산맥의 숲은 눈부신 노란색으로 물듭니다.

해마다 달라지는 나뭇잎의 색깔

나뭇잎의 색과 진하기는 날씨에 따라 해마다 다를 수 있어요. 낮에는 밝고 화창하고 밤에는 서늘한 가을 날씨가 이어질 때, 나무는 가장 밝고 강렬한 단풍을 만들 수 있습니다. 짙은 빨강과 보라색을 나타내는 안토시아닌 색소가 합성되려면 강렬한 햇빛이 필요합니다. 그래서 가을에 구름이 많이 끼는 날이 이어지면 단풍은 새빨갛게 물들지 않습니다. 여름 내내 강수량이 적어 건조한 날씨가 이어지면, 잎의 색깔 변화가 느리게 진행되거나 색깔이 미처 변하기도 전에 잎이 떨어지기도 합니다.

여느 해보다 기온이 쌀쌀하면 잎을 빨갛게 또는 보랏빛으로 물들이는 안토시아닌 색소의 합성 능력이 현저히 떨어집니다. 잎의 색깔을 좌우하는 이런 요소는 심지어 같은 나무에서도 다른 색 잎을 만들 수 있습니다. 그래서 햇빛이 환히 비추는 쪽에서 자라는 나뭇잎은 그늘진 반대쪽 잎보다 훨씬 더 선명한 붉은색으로 물들곤 합니다.

단어 풀이

겨울나기 : 월동. 겨울을 남.

낙엽수 : 오리나무, 참나무처럼 가을이나 겨울에 잎이 떨어졌다가 봄에 새잎이 나는 나무를 통틀어 이르는 말.

녹색식물 : 엽록소를 가지고 있으며 광합성에 의하여 녹말을 만들 수 있는 식물.

떨켜 : 낙엽이 질 무렵 잎자루와 가지가 붙은 곳에 생기는 특수한 세포층.

상록수 : 소나무, 대나무처럼 사계절 내내 잎이 푸른 나무를 통틀어 이르는 말.

색소 : 식물의 색깔이 나타나도록 해 주는 성분.

성장기 : 성장하는 동안.

세포 : 모든 생물을 구성하는 기본 단위.

안토시아닌 : 식물의 꽃, 잎, 열매 등의 세포액 속에 들어 있어서 빨강, 파랑, 초록, 자주 따위의 빛깔을 나타내는 색소.

엽록소 : 엽록체 속에 들어 있는 초록색 색소로, 식물의 잎을 녹색으로 만들고 녹색식물의 영양분을 합성하는 일을 함.

엽록체 : 식물 잎의 세포 안에 함유된 둥근 모양 또는 타원형의 작은 구조물. 엽록소를 함유하여 녹색을 띠며 광합성이 이루어지는 장소.

이산화탄소 : 물질이 탈 때 생기는 색깔이 없는 기체. 나뭇잎은 공기 중의 이산화탄소를 흡수하여 식물의 영양분을 합성함.

카로티노이드 : 동식물에 널리 분포되어 있어서 노랑 또는 주황 빛깔을 나타내는 색소.

타닌 : 식물의 잎이 갈색을 띠게 하는 색소.